BACK IN THE SIXTIES

ÉDITIONS VERDIER
11220 LAGRASSE

Du même auteur
aux éditions Verdier

Le Matin des origines, 1992
Le Grand Sylvain, 1993
Le Chevron, 1996
La Ligne, 1997
Simples, magistraux et autres antidotes, 2001
Un peu de bleu dans le paysage, 2001

Pierre Bergounioux

Back in the sixties

Verdier

www.editions-verdier.fr

ISBN : 2-86432-383-4

Le texte « Back in the sixties » a paru pour la première fois
dans la revue *L'Amateur de cigares* de juin 2002.

Back in the sixties

Les trente dernières années se ramènent à rien. C'est pire que ça. Elles constituent une régression sans précédent dans les domaines de l'innovation intellectuelle, de la lutte politique, de la moralité publique et des vertus privées. Juste avant de mourir, Fellini a confié ses dernières paroles à un personnage anonyme, invisible, de *La Voix de la lune*, son dernier film. On l'entend crier, dans la nuit, d'une voix où l'indignation le dispute à la colère : « *Siamo un popolo di stronzi !* » Après ça, le maestro, peu soucieux de s'attarder en pareille compagnie, s'est éclipsé.

Les rapports d'argent ont gagné toute la planète, « les eaux glacées du calcul égoïste » submergé tout autre mobile et considération. Les derniers moments réels, vivants, vibrants que nous avons connus remontent aux années soixante. Et c'est là que je veux en venir.

L'occasion s'est présentée de me rendre à Cuba. Aucune idée de ce que j'allais découvrir, rien que des souvenirs, quelques images en noir et blanc de barbus verbeux et gesticulants auxquels, dans mon hégire, succèdent de petits hommes aux yeux bridés, vêtus de feuillage, sous le chapeau conique en latanier, dans les forêts du Viêtnam. Mais c'est la même histoire, d'un certain point de vue, les avatars du différend qui partage l'humanité sur la question de la répartition.

Or, celle-ci, dans l'intervalle, semble être tombée dans l'oubli. Les tenants de la redistribution ont rendu les armes, ceux du partage inégal – c'est la doctrine néo-libérale – triomphé sur les cinq continents. Tout homme se regarde désormais comme un agent économique dont la fin consciente ne va plus qu'à optimiser la vente et l'achat de services et de biens tarifés sur le marché global. Cette figure succède à d'autres qui occupèrent, quand ce fut le moment, le devant de la scène – latifundiaires, patriciens, barons, maîtres de jurande, bourgeois manufacturiers de la grande industrie et de la finance… –, pour reprendre l'énumération fulgurante du jeune Marx dans son *Manifeste*. Il y a une différence capitale, toutefois. C'est qu'elles avaient pour répondant les esclaves, les serfs, les compagnons, les salariés agricoles, les prolétaires. Elles allaient par couples, dont la querelle fut l'histoire même. Puis le monde entier semble avoir migré d'un seul et même côté. La contradiction, le principe moteur se sont évanouis, le fleuve impétueux du devenir perdu dans les marécages. Des voix ont déjà proclamé que l'histoire est finie. On en est là.

J'ai débarqué, en pleine nuit, sur l'île des Caraïbes où le conflit avait pris, quarante ans plus tôt, l'allure éclatante, exemplaire, qu'il se plaît à revêtir parfois, par endroits. Par exemple dès l'an 70 de notre ère, lorsque trente mille esclaves des latifundia de l'Italie du Sud, emmenés par un berger thrace devenu mirmillon, dispersent les légions envoyées contre eux, font trembler Rome avant de périr en Lucanie, Spartacus en tête, sous l'action provisoirement combinée de Crassus et de Pompée.

Plus tard, plus au nord, à Paris, la Convention, affrontée, dehors, aux tyrans coalisés, dedans à la chouannerie, proclame par la bouche de Robespierre que la République est invincible, comme la vérité, immortelle, comme la raison. Après, encore, mais à l'est, dans Saint-Pétersbourg, des moujiks, des ouvriers, des marins accrochent le drapeau rouge au fronton du palais d'Hiver après avoir traversé, les armes à la main, ses salons d'ivoire, d'onyx et de malachite. L'histoire alors se mue en légende. Des gladiateurs révoltés, des bourgeois radicaux, éloquents, emperruqués, poudrés à blanc, des intellectuels apatrides d'Europe orientale cristallisent l'attention de la planète. Ils tiennent entre leurs mains la promesse. Puis elle leur échappe.

Jamais, sans doute, il n'y eut désillusion comparable à la nôtre. L'URSS s'est désintégrée, les partis révolutionnaires et les mouvements de libération nationale ont périclité. Après être entré avec nous en sa verte jouvence, le monde a vieilli, dévalé les degrés des années soixante-dix, quatre-vingt, quatre-vingt-dix. Pas un haut fait ni un fait d'armes, depuis lors, pour dilater le cœur de l'humanité, rien que des abattoirs, des charniers, des tueries de rats d'égout s'exterminant dans leur cloaque aux motifs qu'ils sont Serbes ou Croates, Tutsis ou bien Hutus, noirs ou blancs, catholiques ou protestants. Bref, les pires, les plus archaïques des principes d'identification et d'opposition – c'est pareil – remontant de la boue, de la nuit où ils semblaient ensevelis, pour enténébrer le paysage.

Cuba. D'abord, il fait une chaleur insolite quand c'est l'hiver. Le mot n'y désigne pas des jours bas, écourtés, défeuillés, un ciel gris, le froid noir mais quelque chose qui tient, ici, de la fin mai, des premières heures de juin, quand la belle saison, lisse, humide, comme neuve, s'est pourtant déclarée, qu'on se surprend à transpirer à quatre heures du matin. Ensuite, dans le hall de l'aérogare, un film obscène passe en boucle sur des téléviseurs. Il montre des touristes de type européen ou nord-américain en train de skier sur les vagues, derrière un hors-bord, puis de siroter des daïquiris romantiques sous les cocotiers, au couchant, avant d'aller se trémousser en boîte. On se dit que c'est décidément fini. L'homme aux écus est partout, flanqué de la « conne classique », comme dit encore Fellini, et le mieux serait de remonter dans l'avion.

Mais il faut s'engager dans l'étroit passage où des moustachus en uniforme moutarde, l'écusson du ministère de l'Intérieur cousu à l'épaule, examinent d'un œil suspicieux les passeports et vous dévisagent avant de vous rendre sans un mot le papier. On sort. On monte dans un bus qui s'enfonce dans la nuit entre des terrains vagues, des faubourgs. Sur un mur, à la lumière d'un réverbère, des inscriptions. Non pas les tags désolants, dérisoires d'un sous-prolétariat dépossédé de projet politique, presque de langage articulé, mais un slogan officiel peint avec application : « Cette révolution a été faite par une idée, pour des idées. » Plus loin : « Nous vaincrons. » Plus loin, encore : « Cuba, oui ! » Entre les premiers palmiers, un visage du Che sur quinze mètres carrés, un tas de ferraille, des cascades de fleurs, des blocs d'habitation auxquels il manque quelque chose que la nuit dissimule de son manteau. La clarté du jour me dira, le lendemain, ce que c'est. J'en reparlerai.

Parce qu'il y a autre chose, d'autres signes que ce n'est pas seulement la porte en verre de l'aérogare que l'on passe, en arrivant, mais celle du temps.

Deux Dinky Toys ont glissé, coup sur coup, le long du car, la Plymouth Belvedere, que je n'avais pas, avec son épaisse barrette chromée partageant longitudinalement la calandre, et la plantureuse Buick Skylark, modèle 1953, qui figurait dans ma collection. Elle revient, du fond de l'enfance, à ma rencontre. Aujourd'hui, soudain, c'est hier, à moins qu'hier n'ait pas passé, du moins partout. Que, dégoûté de ce qu'il allait devenir s'il cédait la place à demain, il ne se soit établi sous l'éternel printemps cubain, pour toujours. Un curieux engin masque la Buick, un tracteur routier attelé d'une semi-remorque constituée d'un autobus aux extrémités surélevées – on appelle ça un « chameau » –, privé de roues avant. À mesure qu'on approche de La Havane, des immeubles comme on peut en voir à Dniepropetrovsk ou Krasnoïarsk poussent de part et d'autre du chemin, et la sensation se précise qu'il manque quelque chose, avec la certitude, maintenant, qu'un enfant géant est allé se coucher sans ranger sa collection de petites voitures.

Je ne sais pas si j'ai dormi, cette nuit-là. Il n'existe pas d'indice dans les rêves, qui nous signalerait que ce n'est pas la réalité, non plus d'ailleurs que dans un coin de la réalité, pour nous rappeler de bien faire attention, que ce n'est pas un rêve. Je suppose que passé la porte du temps, la distinction entre la veille et le sommeil tombe avec celle qui oppose le présent et le passé. Elles ne sont, l'une et l'autre, qu'une conséquence de la division ontologique que Descartes a établie jadis entre les deux substances, étendue et pensante, dont nous sommes pétris. Il en a déduit toute sa philosophie. Le fort décalage horaire a pu aider aussi à lever la barrière qui sépare les heures, ce qu'il y a et ce qu'on voudrait, nos désirs et la réalité. Ce qui fait que, rêvant, sans doute de Dinky Toys, de l'enfance, des jours qu'on dit passés dans un contexte sillonné de voitures en miniature, historié de visages, de slogans, d'images du temps d'avant, la différence entre ce qu'on se représente, en songe, et ce qu'on découvrirait, en ouvrant les yeux, s'est trouvée abolie et que je ne peux donc pas savoir si j'ai dormi.

Peut-être que si l'on dort, c'est parce qu'on ne supporterait pas vingt-quatre heures sur vingt-quatre le contact de ce qu'on appelle, sans y voir malice, le réel. Il est la source de tant de contrariétés, de douleurs et de déconvenues qu'on ne peut s'en accommoder qu'en fermant les yeux, avec la complicité de l'obscurité. Il est donc indifférent que j'aie dormi ou non puisque la distinction n'existait plus. Une chose est sûre, j'étais debout avant le jour d'après, seul, sur un terre-plein qui domine l'extrémité orientale du Malecón, considérant avec des yeux ouverts – je m'en suis fait la remarque – la suite du rêve dont j'avais été occupé, si j'ai dormi, ou la réalité qui le continuait puisque c'était la même chose. À savoir la fin de la nuit sur la mer, dans l'été naissant et le jeu de l'enfant qui a grandi sans devenir adulte parce qu'il a deviné, avec l'instinct divin du jeune âge, que le temps d'après serait celui du désenchantement et de la perte.

Alors les dieux de l'enfance ont ordonné à ses Dinky Toys de croître, d'atteindre l'échelle 1, qui correspond au format de l'adulte. Celles-ci ont obéi et, fidèles, vrombissaient sur le boulevard qui longe la mer devant le gosse que je fus, qui murmurait, au passage, leur nom – Chevrolet Corvair, coupé De Soto noir, Ford Fairlane deux tons, blanc et rose bonbon, Lincoln Continental... Lorsque le dieu du Temps jugea que j'étais prêt, que je pourrais supporter ça, ce furent, coup sur coup, la Cadillac 55 avec les ailerons sur l'arrière qui la faisaient – la font – ressembler à un avion et une GAZ-69, qui est une jeep soviétique, dans sa livrée kaki, le tout défilant avec le bruit de gamelle que produisait, jadis, une voiture digne de ce nom.

S'il ne tenait qu'à nous de prolonger indéfiniment notre sommeil, je serais toujours juché sur le terre-plein, à regarder les Dinky Toys se déplacer toutes seules, sans qu'il soit besoin du concours de notre main, de nos lèvres pour imiter le bruit. Mais le temps passe, soit qu'il tourne en rond, soit qu'il fuie tangentiellement. Le jour s'est levé. Le rêve, la réalité, les deux mêlés s'étendant aussi loin que le regard portait, il aurait été dommage, vraiment, de ne pas les explorer. On ne pense jamais, en rêve, à parcourir systématiquement le pays des rêves. Mais celui-ci incluait l'élément distinctif de la réalité, qui est qu'on peut constater que c'est elle sans que, à la différence du rêve, elle s'efface aussitôt. J'ai songé que c'était l'occasion de s'enfoncer dans le temps partout ailleurs révolu puisque c'était maintenant.

L'autre preuve, dont je n'avais pu m'assurer, dans la nuit, c'est la décoloration, le délabrement qui gagne toute chose, les voitures, les maisons, les devantures, par le simple effet du temps. Le présent est affaire de peinture fraîche. Nous rêvons en couleur. Je l'ai vérifié. Mais du fait qu'on ne se soucie pas de contrôler si la peinture des rêves est récente ou non, puisqu'on rêve et qu'on ne le sait pas, j'ignore si elle vieillit à proportion de ce que les choses qu'on voit en songe sont anciennes, éloignées.

L'esprit du temps a caché les pots de peinture qui auraient permis aux Cubains de mettre au goût du jour les façades tarabiscotées de la Vieille Havane, les baraquements en planches des faubourgs, les immeubles post-staliniens pareils à des morceaux d'astre mort tombés dans les champs de canne et les manguiers qui bordent la côte. Le temps s'est arrêté, pour n'entrer point aux jours désastreux qui ont succédé, voilà trente ans, aux trente glorieuses. Mais il y a une contrepartie, si l'on veut qu'il s'attarde. Il ne faut pas ravaler la maçonnerie fendillée par le soleil et la pluie, donner un coup de pinceau aux boiseries délavées, ragréer la chaussée creusée de nids de poules qui auraient grandi, comme l'enfant qui joue, atteint la taille, si l'on en croit leurs nids, de véritables autruches. Les Pontiac, les « chameaux », les GAZ s'y enfoncent résolument, comme des jouets dans le gravier, pour en ressortir avec des grincements de suspension à l'agonie, de barres de torsion martyrisées.

Sur le Malecón, qui est l'équivalent de la Promenade des Anglais, de la 5ᵉ Avenue ou des Champs-Élysées, il n'y a pas un lampadaire sur dix qui marche, plus une bouche d'égout munie de son couvercle, une bordure de trottoir qui ne soit effondrée, emportée. Et ça aussi, c'est normal. C'est l'effet du temps lorsqu'on a décrété qu'on n'en tiendrait pas compte parce qu'on n'en voulait pas. Il n'apportait rien de bon. On patientera jusqu'à ce qu'il se décide à prolonger, plus exactement à dépasser en conservant, selon une formule célèbre, celui d'avant, lequel, pour n'avoir pas passé, reste vivant quoique pâli, passablement écaillé, décati. C'est la rançon à payer quand on dit non.

Il suffit, on le sait, d'un imperceptible détail, de la plus petite contradiction dans la somme des attributs qui constituent ce qu'on baptise du nom de réel pour qu'il vole en éclats. La littérature est coutumière de ce procédé, dont les conséquences sont incalculables. Prenons l'histoire la plus prosaïque qui soit, le héros le plus terne, un employé de bureau sérieux, scrupuleux, qui se lève à la même heure, chaque jour, enfile ses habits bon marché mais propres, boit son café et quitte sa famille pour être ponctuel au travail. Un matin, au réveil, il découvre qu'il s'est métamorphosé en cafard. À cela, rien d'extraordinaire. La Belle au bois dormant, les histoires de bonne femme, les contes pour enfants nous ont habitués à ces prodiges faciles.

Oui, mais le cafard continue à raisonner comme un homme, conserve, intacte, la faculté signalétique de l'espèce, qui est de penser, et l'intention d'en user jusqu'au bout. Et alors rien ne va plus. Le petit livre de Kafka ouvre une brèche terrifiante sur l'ombre augurale, infestée de monstres blêmes qui grouillent, dans l'ombre, et vont investir la réalité.

Je priais qu'un trait venu de l'avenir, ou du présent – c'est selon, c'est comme on voudra –, n'apparaisse pas sur la marge, dans un interstice, parce que le rêve s'effondrerait comme un château de cartes ou la réalité – ça revient au même – ne serait soudain plus qu'un rêve. D'un autre côté, j'entendais ne rien perdre des détails qu'on néglige, quand on dort. Sachant que je rêvais, il eût été dommage de laisser passer l'occasion d'explorer avec la plus grande vigilance le pays du rêve. J'étais donc anxieux de rencontrer inopinément le détail insolite qui ruine, à lui seul, des mondes, la faille imperceptible à quoi se trahissent un masque, un décor, un songe, et curieux, simultanément, de parcourir cette contrée contradictoire, le passé vivant, le présent d'autrefois.

Soit que l'ange du bizarre ait conduit mes pas loin des enclaves cosmopolites où l'on vend, en dollars, exclusivement, des gadgets électroniques japonais, des fringues italiennes, des parfums français, des hamburgers au pain de mie et du coca-cola, soit qu'il n'en existe pas dans l'aire limitée où j'évoluais, les impressions que j'ai recueillies étaient cohérentes. Toutes dataient de l'embellie de dix ans, à peu près, que le vingtième siècle a connue entre la fin des années cinquante et le moment, mettons, où Armstrong a posé un pied sur la Lune. C'est l'intervalle qui sépare, à Cuba, l'entrée des barbus dans La Havane de la mort de Guevara en Bolivie.

Partout, les Dinky Toys grandis avec l'enfant qui a refusé les reniements de l'âge, la fin des temps, et puis l'absence, d'abord désolante, ensuite réjouissante, au deuxième ou au troisième degré, de la couche de peinture qui rendrait supportables, sinon agréables, les pâtés de béton qu'on dirait transplantés de la moyenne Sibérie sous les cocotiers. Le charme puissant de l'époque qui campe, comme elle peut, dans l'île après avoir été chassée de partout, c'est qu'elle foulait aux pieds les vieux partages, les distinctions primitives, mystifiées, raciales, religieuses, tribales.

Des ouvriers européens se sentirent moins proches de leurs compatriotes capitalistes que des ouvriers du pays ennemi, de paysans vietnamiens, de rebelles algériens, de manœuvres noirs sud-africains, le tout plus ou moins orchestré par un Khrouchtchev tout en rondeurs, bon comédien et suffisamment courageux, en tout état de cause, pour dénoncer l'horreur profonde en quoi s'était mué l'idéal de tous les exploités, de tous les opprimés de la terre.

La moindre ruelle de La Havane enferme, comme un sulfure, la Cadillac 55 dans son jus bleu ciel, un camion Moskva garé derrière, des mots d'ordre déclamatoires et naïfs, poétiques, parfois, pareils à ceux qui fleurirent sur les murs de l'année 1968, l'écho de *La Bamba* qu'un orchestre interprète un peu plus loin, Cervantes juché, tel un stylite, à quatre mètres du sol, tenant la plume d'une main, dans l'autre des feuillets de *Don Quichotte,* les boutiques mal achalandées qu'on voyait à Bédarieux ou à Guéret en 1959, puisque 1959 est resté, avec la décennie qui suit, sur le sol de l'île. Il y a une preuve supplémentaire que les frontières sont levées, pour moi, du moins, et ce sont les oiseaux.

Rien n'est saugrenu lorsque c'est du rêve qu'il s'agit, du pays qui prolonge celui, lourd d'interdits, de deuils, pesant, désenchanté, que nous habitons à l'enseigne de la réalité. Aux extrémités du jour, entre le début du mois de mai et la fin de juillet, il se passe quelque chose à quoi j'ai toujours accordé une attention extrême. Ce sont les martinets. On ne saurait les confondre avec les hirondelles. Petites faux doubles, entièrement noirs et empennés, ils fendent l'air avec un sifflement de faux, par grappes serrées, rasant les toits avec un battement précipité de leurs ailes, le fil de leur cri matérialisant l'orbe qu'ils tracent au ciel soufré de l'aube ou dans l'aigue-marine du soir. On dit qu'ils dorment en vol, portés par les souffles de la nuit, et je le crois. J'ai entendu parfois leur trille extasié, ivre, tomber du ciel noir où ils rêvaient, les yeux clos, immobiles, ailes déployées. Qu'est-ce qu'ils viennent faire dans l'histoire ? On va le voir.

On est dans la Cabaña, une forteresse qui commanda l'entrée de La Havane, servit ensuite de prison pour les contre-révolutionnaires, les homosexuels, les dissidents et abrite, l'espace d'une semaine, une manifestation culturelle internationale. Une tribune a été dressée sur la plateforme supérieure. Elle se détache en gloire sur le couchant. Castro, treillis et rangers, comme à la grande époque – mais elle continue, comme tout le reste – est là. Il s'approche du micro. L'espace d'une minute ou deux, à trente mètres, environ, je me demande si c'est bien lui, s'il est réel. La voix que répercutent les amplificateurs ressemble aux boiseries décolorées, aux façades craquelées. Elle hésite, paraît vouloir s'éteindre, mourir.

Puis il s'est produit quelque chose que je n'ai pas décelé, pas seulement parce que je n'ai pas un traître mot d'espagnol mais parce qu'il faut habiter les rêves pour en connaître les lois, comprendre leurs péripéties, prévoir leur suite. Les trois ou quatre mille Cubains massés sur l'esplanade, si. La voix, soudain, s'est enflée, élevée, comme il y a quarante ans, lorsqu'elle déclarait que la Révolution sait aussi gagner des batailles. Ou à l'inverse, mais ça revient rigoureusement au même, la chose qui avait pâli comme les peintures, l'idéal, les sixties, recouvre son poids de chose, sa vertu galvanique. C'est Castro en personne, à n'en pas douter, qui s'anime, lève un doigt, se penche, ouvre les bras, les ramène sur sa poitrine. C'est lui, c'est maintenant et je surprends, à cet instant, deux envoyés de l'été, deux martinets virant au ciel de février, comme s'ils avaient attendu, cachés dans la coulisse, que soit levé l'écran qui sépare le présent du passé, le rêve de la réalité. Tout le temps que va durer le discours, jusqu'à la nuit tombée, ils passeront et repasseront – ils étaient quatre, en tout – au-dessus du *Lider Máximo* et je veux croire qu'ils ont continué à planer bien après son départ, dans l'obscurité.

C'est le même soir que je suis entré dans le joyau de la collection, la Studebaker Commander de 1953, dessinée par Raymond Loewy avec un capot en ogive de fusée, un coffre surbaissé, démesurément long. Ce qui fait qu'on avait toujours une seconde d'hésitation, je me souviens, avant de distinguer entre l'avant et l'arrière et de la faire rouler dans le bon sens. Lorsque j'ai posé l'extrême pointe des fesses sur l'interminable banquette arrière, je suis définitivement revenu en enfance à moins que, perçant le mur opposé du temps, je n'aie eu l'avant-goût de l'avenir où l'essence et l'apparence vivront réconciliées, dans l'Un substantiel, à jamais.

Continuons. La « Stud » au tableau de bord simplifié, puéril, au volant de matière plastique crème, plonge sous la mer par le tunnel, dit des

Français, qui relie la forteresse à l'autre côté de la rade. On se demande si on en sortira vivant. La Havane est saturée d'oxydes, de vapeurs d'essence brûlée. D'abord, les moteurs sont fatigués, la carburation approximative. On dirait qu'on les abreuve de pétrole brut, que la boue épaisse, gluante, puante qui jaillit des entrailles de la terre est directement transvasée dans les réservoirs. On l'exploite tout près. Les installations offshore se dressent à une encablure du rivage, avec leurs torchères qui brûlent jour et nuit. On avance dans le nuage de fumée noire, délétère, que vomit, devant, une Oldsmobile, laquelle est prise elle-même dans l'espèce de feu de broussailles qui se dégage d'un chameau.

C'est un soulagement de retrouver l'air libre, une certaine visibilité. Sur une place, une abstraction légèrement figurative, en pierre, renvoie, elle aussi, aux heures où les formes tendirent à s'émanciper, à plaire sans concept, comme dit l'autre, sans trouver tout à fait la force de rompre avec la tradition. Elles esquissent, ici, une tête simplifiée, là, un bras reconnaissable.

Juste après, on pense croiser une compression colossale sur un socle de béton et c'est un vieux SU 100, son canon pointé vers la magnifique porte d'entrée, à deux battants, du palais des Gouverneurs.

Le SU 100, qui n'est jamais qu'un T34 russe converti en canon d'assaut, je l'avais déjà vu aux actualités de vingt heures d'il y a quarante ans, au format Dinky Toys à quoi l'écran chétif, grisâtre, de la télévision d'alors ramenait pêle-mêle la DS21 futuriste, la 404 de Bourvil et la Facel-Véga d'Albert Camus broyée par l'accident. Il a grandi, lui aussi, comme la Studebaker Commander, comme nous tous, mais sans dépouiller, comme on fait avec l'âge, hélas, l'éclat de l'enfance. C'est le contraire.

Après avoir existé d'abord en noir et blanc, avec le buste de Castro, cigare au bec, émergeant de la trappe, il arbore, sur son piédestal, l'éclat du neuf. C'est à lui que sont destinés les dix litres de peinture que Cuba importe ou produit, bon an, mal an. Il ne brillait pas d'un tel lustre lorsqu'il cracha le feu sur la baie des Cochons. Si, comme je le postule, c'est à leur cohérence interne qu'on reconnaît le réel, le rêve ou l'unité supérieure, mystique, qui les transcende, alors rien n'est actuel, vivant comme le temps, partout ailleurs enfui, où la flamme immortelle, invincible de la Révolution, pour reprendre les termes de Robespierre, embrasa l'île.

Une place, en léger retrait, est plantée d'arbres. Les uns sont nus, comme en février, d'autres fleuris, d'autres du vert dru, glorieux de juin. Sur la place, sous verre, il y a un bateau grandeur nature. C'est le *Granma*. Il portait les quatre-vingt-deux activistes qui partirent du

Mexique pour conquérir Cuba avec l'entrain qu'on voit à des gosses de dix ans, leur à-propos et leur sérieux. Ils souffrirent abominablement du mal de mer. Leur barcasse s'échoua sur un banc de sable à trois kilomètres de la côte. Ils durent gagner le rivage avec de l'eau jusqu'à la poitrine, à travers la mangrove. Ils perdirent dans l'affaire leurs munitions, leur goûter, tombèrent, à l'arrivée, sur les troupes spéciales de Batista qui exterminèrent la quasi-totalité du groupe. Les survivants, épuisés, affamés, à court de cartouches, se réfugièrent dans les montagnes de la Sierra Maestra. Un jour, ils en sortirent. La suite est connue du monde entier.

Autour de la vitrine, où le *Granma* ressemble à un modèle réduit, est rangée la panoplie des sixties. Deux antiques avions à hélice lui tiennent compagnie, dont on se demande s'ils volèrent pour ou contre les castristes. Pas l'ombre d'un doute, en revanche, sur le poteau électrique muni d'ailerons triangulaires, obliquement dressé sur un berceau de fer. C'est un missile sol-air soviétique. Il se propulsa au faîte de la notoriété à Mach 3 le 1er mai 1960, jour de la fête du Travail, en abattant l'avion espion de Gary Powers qui se croyait hors d'atteinte à 80 000 pieds d'altitude, au-dessus de Sverdlovsk. Khrouchtchev, bouillant de colère, dehors, mais intérieurement ravi, en profita pour se déchausser à l'assemblée générale de l'ONU et marteler son pupitre en bois verni de sa grosse godasse russe. Le monde était jeune. On se serait cru à la maternelle, n'était que les jouets étaient des bombes thermonucléaires de cent mégatonnes que les deux K menaçaient tous les matins de s'envoyer à la figure. C'est miracle si, lors de l'affaire de Cuba, justement, ils sont restés dans leur boîte. Sinon, il n'y aurait plus trace de vie sur terre. Même les cafards, sous leur carapace, auraient été irradiés à mort.

À côté, ce qu'on prendrait, de loin, pour les « monstres » qu'on met sur le trottoir afin que les services de la voirie municipale les enlèvent au matin, vaisselle d'aluminium, gazinières et frigos déglingués. De près, on distingue un gouvernail de direction cabossé, un tronçon de fuselage, des morceaux d'avions américains décrochés des hauts firmaments par le poteau ailé que l'Union soviétique importa sous les tropiques avec les GAZ et les gros pâtés gris en béton.

D'hier, enfin, de la communauté qu'a rompue, atomisée le raz-de-marée néo-libéral, avec son individualisme forcené, les gens assis dehors, le dimanche matin, devant leurs maisons, en rang d'oignons. Cela se pratiquait, lorsque j'étais gosse, aux beaux jours, dans ma province. Puis cela s'est perdu. On ne se parle plus. On ne met plus en commun l'expérience collective, ce qui expliquerait, en partie, les incompréhensions mutuelles et les haines croisées, les phénomènes anomiques rangés hâtivement sous la rubrique de l'insécurité, les abîmes partout béants de déraison et de déréliction. Un anthropologue américain, Marshall Sahlins, rappelait qu'il y a deux manières d'être riche : travailler beaucoup, désirer peu. Je ne suis pas loin de regarder comme un luxe suprême de rester une matinée entière, assis parmi mes semblables, dans le vent tiède, à ne rien faire que laisser le temps passer.

Il n'y a pas que la peinture qui manque, à Cuba, qui souffre, en revanche, d'une pléthore de moustachus en uniforme du ministère de l'Intérieur. Des bonnes âmes ont dit tout cela mieux que je ne le saurais faire. C'est pourquoi j'ai parlé des rêves. Ils ont beau être immatériels, ils n'en sont pas moins réels. L'un d'entre eux s'attarde dans la mer des Caraïbes, précaire, pâli mais tangible, encore. Je l'ai fait.

Battements de cœur

L'UNIVERS, dit-on, battrait comme un cœur. Il passerait par des phases alternées de dilatation et de contraction. Les corps célestes s'éloignent les uns des autres sous l'impulsion qu'ils ont reçue de la déflagration primordiale – le Big Bang. Certaine rougeur, que détecte l'observation astronomique, l'atteste. Mais le moment viendra peut-être où, cette énergie dissipée, les forces gravitationnelles reprendront le dessus. La matière, violemment repoussée vers la périphérie, refluera vers le centre. Diastole, systole. Il est des ordres de grandeur, des durées qui effraient. Telle est la rançon de la disposition singulière, peut-être unique dans le cosmos, qui nous fut départie : la pensée. Un Français, Blaise

Pascal, a fixé ce vertige, jadis. Il fait la tragique grandeur de l'humanité.

L'histoire, si nous tentons de la voir en surplomb, si cela est permis à qui s'y trouve pris, paraît, elle aussi, passer par des phases successives d'expansion et de retrait. Depuis deux siècles, à peu près, que les hommes ont entrepris de la faire en connaissance de cause, elle semble obéir à la poussée alternée de forces contraires. Les unes, réactionnaires, tendent à figer le mouvement, à maintenir un certain ordre – ou un certain désordre – qui a pour invariant l'inégalité sous ses diverses espèces : l'exploitation, l'oppression, le mépris... Les autres, révolutionnaires, travaillent purement et simplement à en purger la surface de la terre.

C'est le but que s'assignaient déjà les grands idéalistes de la Révolution française. Le 27 brumaire de l'an II (28 novembre 1793), par exemple, Robespierre, à qui il reste six mois à vivre, monte à la tribune de la Convention pour présenter un rapport sur la situation politique de la République. C'est la mauvaise saison. Tous sont épuisés, blêmes. La brume ne se lèvera pas, sur Paris. Des quinquets fuligineux brûlent dans la salle assombrie. Les visages sont tendus, mangés d'ombre. Jamais, sans doute, le péril n'a été si grand. Partout, aux frontières, les ennemis, l'invasion qui menace. À l'intérieur, la paysannerie obscurantiste de l'ouest, les Chouans, se regroupe derrière les ci-devant. Tel est le tableau que l'orateur brosse méthodiquement, avec pompe, au moyen de figures – « les serpents de la calomnie, l'hydre du fédéralisme, l'aile de la liberté ». Quelque terrible que soit la conjoncture, profonde l'inquiétude qu'elle inspire, c'est à la lumière de la Raison qu'il la peint, sa lumière impersonnelle, un peu froide qu'il jette sur « la ligue des fripons décorés du nom de roi », les intrigues ténébreuses des banquiers, la faiblesse funeste de la Gironde. À l'instant de conclure, il se laisse aller à rêver. Il déplore que ses propos soient renfermés dans l'étroite enceinte de l'Assemblée. S'ils pouvaient retentir à l'oreille de tous les peuples, alors – et sa voix dut s'enfler, s'altérer – « les flambeaux de la guerre seraient étouffés, les chaînes de l'univers brisées et vous auriez autant d'amis qu'il existe d'hommes sur la terre ».

On connaît la suite, le reflux de thermidor et l'Empire. Plus tard, les journées de février 1848 puis celles, sanglantes, de juin avant le coup d'État du 2 décembre 1851. Puis la Commune de Paris et le mur des Fédérés, octobre 1917 et les bouffons, les assassins que le capital industriel et financier hisse sur des estrades pavoisées de faisceaux et de croix gammées.

L'histoire bat la chamade.

La question de la répartition est inscrite à l'ordre du jour. Elle y restera aussi longtemps qu'elle n'aura pas reçu la réponse appropriée. Il importe assez peu qu'elle soit essentiellement historique, tributaire de conditions matérielles déterminées, ou que le germe en soit déposé, comme Rousseau l'affirme, dans le cœur humain, où les meilleurs l'ont senti aussi loin que la mémoire remonte, et au-delà. Elle est le principe moteur des événements, les uns exaltants, lyriques, les autres accablants, dont on constate l'alternance depuis que le conflit a pris, avec les temps modernes, un tour explicite, déclaré.

Nous touchons aujourd'hui, à n'en pas douter, le fond. C'est sous les auspices d'une heure très basse que s'ouvre le troisième millénaire. Trente ans de régression, de désillusion ont suivi trente années d'essor, d'espérances.

L'URSS s'est effondrée, avec les démocraties populaires d'Europe orientale. Les pays en voie de développement ont troqué leur droit d'aînesse contre le plat de lentilles de la Banque Mondiale et du FMI, les partis révolutionnaires périclité partout. Des voix s'élèvent pour proclamer que l'histoire a pris fin, son cœur cessé de battre. Elles disent que le monde est un marché global, tout homme un calculateur hédoniste dont toute l'ambition va à optimiser la vente et l'achat de biens et de services tarifés. Les peuples sont en train de faire l'expérience du néo-libéralisme. Après l'Asie du Sud-Est, la Russie, c'est le tour de l'Argentine. Des dizaines de millions de gens vérifient l'incidence concrète des critères financiers appliqués à l'ensemble des domaines d'activité.

L'histoire ne se répète pas. Mais elle passe régulièrement par des hauts et des bas, sous l'influence de la contradiction qui la travaille. D'autres périodes parurent, à l'égal de la nôtre, sans perspective ni lendemain. La Belle Époque, par exemple, qui voit les États-nations se disputer la suprématie planétaire, les armes à la main, l'Internationale faillir à ses engagements, livrer ses commettants – ouvriers, paysans – au massacre. Il y eut matière à désespérer.

Un Russe exilé en Suisse lit les journaux de l'été 1914, caresse sa barbiche puis confie à ses compagnons que cette guerre est le cadeau du tsarisme à la révolution. Bien sûr, les cadeaux, ça ne s'ouvre pas comme ça. On attend le moment, la soirée de l'anniversaire, le matin de Noël. Pour l'heure, l'Europe unanime s'engage, la fleur au fusil, dans la guerre moderne. Combien de temps lui faudra-t-il pour comprendre à quelle cause étrangère, inhumaine, à quels intérêts inavoués elle est sacrifiée, c'est ce que Lénine – le Russe – se garde bien de pronostiquer. Un certain temps doit s'écouler, dont chaque seconde cristallise une quantité jusqu'alors inégalée de sang, de larmes, pour que les combattants se retournent contre leurs ennemis véritables. Ceux-ci ne sont pas terrés dans la tranchée d'en face, mais assis, derrière eux, aux conseils d'administration des grandes firmes, dans les bureaux de l'État-major, sous les lambris des résidences royales ou gouvernementales. Le jour viendra où des ouvriers, des moujiks, des matelots s'empareront du Palais d'hiver.

La pensée, dit-on, n'est qu'un geste retenu, une parole ravalée. La méditation occupe les intervalles de l'action. Tandis qu'on s'excite sur Unter den Linden et aux Champs-Elysées, le petit homme à la barbiche se rend à la bibliothèque municipale de Berne. Dans le silence recueilli, austère et comme intemporel de la grande salle, il se penche sur les ouvrages les plus apparemment éloignés de la situation cataclysmique, les plus abstraits. Il étudie avec un soin spécial, la plume à la main, la *Science de la logique* de Hegel. Il y est question, en termes éthérés, de la contradiction et du dépassement. Soucieux de poursuivre sa lecture après la fermeture, il a obtenu, malgré son statut d'étranger, qu'on lui laisse emporter les livres chez lui. Il les serre dans un cabas en toile cirée, comme les ménagères en avaient pour faire leurs achats. À ceci près que c'est à fortifier son esprit, à parfaire sa conception du réel, que cette aride nourriture va servir. Lorsque trois ans auront passé, le monde entier en sera témoin et s'en trouvera changé.

La contradiction demeure. L'heure où nous touchons ressemble un peu à celles d'il y a cent ans, lorsque tout pouvait sembler perdu, l'impérialisme, avec ses compères le chauvinisme et le bellicisme, triompher. Ces moments de recul, de stagnation, se prêtent à la réflexion. Des choses sont nées, des choses sont mortes. La vie, la réalité entérinent les hypothèses justes et les choix judicieux ; elles sanctionnent les fautes. Le destin désastreux du socialisme du froid fut celui d'un désastre, la négation d'une négativité. Amers souvenirs, d'hiver. D'autres, par bonheur, brillent d'un éclat juvénile, conservent la fraîcheur étourdissante du printemps. Parmi eux, les tribulations d'une poignée de jeunes hommes dans la Sierra Maestra, leur entrée, quelque temps après, dans La Havane, la réforme agraire et la Baie des Cochons, l'exemple, la liesse communicative dont une île des Caraïbes devient, un beau jour, le foyer. Cuba.

Le plus grand philosophe du vingtième siècle fut un Allemand. Il s'appelait Edmund Husserl. Son livre majeur s'intitule *La Crise des Sciences européennes*. Il y revient sur une réalité que la philosophie occidentale a traversée sans la voir. Nous possédons un savoir vécu, vital, auquel nous ne faisons pas réflexion. Notre esprit, dans son effort vers la vérité objective des choses, oublie la relation immédiate qui l'unit à elles. Avant de se révéler comme essence au regard de la science, le monde existe comme phénomène subjectif. Ceux qui n'ont jamais philosophé savent aussi bien que les philosophes si une chose est bonne, juste, droite, ou ne l'est pas. C'est ce que Husserl appelle « le monde effectivement éprouvé ».

Je me suis promené dans les quartiers populaires de Cuba. Il est des impressions qui ne trompent pas. On sent quelles sortes d'hommes nous entourent, quels ils sont, dans quel milieu humain, significatif, on est immergé. Je me suis senti bien.

Or, nous savons, depuis Aristote, qui fut le plus grand philosophe de l'Antiquité, que l'homme est un animal politique. Ces impressions qu'on retire, n'ont rien de naturel. Elles sont la conséquence de décisions politiques, d'actes concertés, de principes explicites. J'avais du mal, en me promenant dans les rues, à distinguer le rêve de la réalité et c'est cette confusion, précisément, que j'avais souhaitée.

Texte lu en public par l'auteur
au salon du livre de La Havane,
le samedi 9 février 2002.

Du même auteur
chez d'autres éditeurs :

Catherine, Gallimard, 1984
Ce pas et le suivant, Gallimard, 1985
La Bête faramineuse, Gallimard, 1986
La Maison rose, Gallimard, 1987
L'Arbre sur la rivière, Gallimard, 1988
C'était nous, Gallimard, 1989
La Mue, Gallimard, 1991
L'Orphelin, Gallimard, 1992
La Toussaint, Gallimard, 1994
Miette, Gallimard, 1995
La Mort de Brune, Gallimard, 1996
Le Premier Mot, Gallimard, 2001
Johan Zoffany, Vénus sur les eaux, William Blake & Co, 1990
Haute Tension, William Blake & Co, 1996
Conversation sur l'Isle, William Blake & Co, 1999
La Casse, Fata Morgana, 1994
Points cardinaux, Fata Morgana, 1995
Au jour consumé, Filigranes, 1994
L'Immémorable, À une soie, 1994
D'abord, nous sommes au monde, éditions du Laquet, 1995
La Cécité d'Homère, Circé, 1995
Le Bois du chapitre, Théodore Balmoral, 1996
Les Choses mêmes, Les Cahiers de l'atelier, 1996
L'Empreinte, François Janaud, 1997
La Demeure des ombres, Art et arts, 1997
Kpélié, Flohic, 1998
B-17 G, Flohic, 2001
La Puissance du souvenir dans l'écriture, Pleins Feux, 2000
Les Forges de Syam, éditions de l'Imprimeur, 2001
L'Héritage. Entretiens avec Gabriel Bergounioux, Flohic, 2002
Aimer la grammaire, Nathan, 2002
Jusqu'à Faulkner, Gallimard, 2002

De cet ouvrage composé en Garamond corps 12,5
il a été tiré soixante exemplaires sur Rivoli
numérotés de 1 à 60
et quelques exemplaires hors commerce marqués HC

Chez le même éditeur

Françoise Asso
Déliement
Reprises
Pierre Bergounioux
Le Grand Sylvain
Le Matin des origines
Le Chevron
La Ligne
Simples, magistraux et autres antidotes
Un peu de bleu dans le paysage
Back in the sixties
François Bon
Temps machine
L'Enterrement
C'était toute une vie
Prison
Le Solitaire
Paysage fer
Mécanique
Quatre avec le mort
Joë Bousquet
D'un regard l'autre
Papillon de neige
Les Capitales
Géva Caban
La Mort nue
Esther Cotelle
La Prostitution de Margot
Didier Daeninckx
La Mort en dédicace
Autres lieux
Cannibale
Le Dernier Guérillero
Les Figurants
Main courante
La Repentie
Le Goût de la vérité
Le Retour d'Ataï
Emmanuel Darley
Un gâchis
Un des malheurs
Jérôme d'Astier
Les Jours perdus
Richard Dembo
L'Instinct de l'ange
Michèle Desbordes
L'Habituée
La Demande
Pierre Dumayet
Le Parloir
La Maison vide
La vie est un village
La Nonchalance
Brossard et moi
Eugène Durif
Une manière noire
Alain Fleischer
Mummy, mummies
Pris au mot
Quelques obscurcissements
Grands hommes dans un parc
Christian Garcin
Labyrinthes et Cie
Armand Gatti
La Parole errante
Œuvres théâtrales
La Part en trop
L'Enfant-rat
Notre tranchée de chaque jour
Gatti à Marseille
Michaël Gluck
Partition blanche
Sylvie Gracia
L'Ongle rose
Gil Jouanard
Le jour et l'heure
C'est la vie
Le Goût des choses
Plutôt que d'en pleurer
D'après Follain
Mémoire de l'instant
Bonjour, monsieur Chardin !
L'Envergure du monde
Raymond Lepoutre
Ernesto Prim
Alain Lercher
Les Fantômes d'Oradour
Le Dos
Prison du temps
Pierre Marcelle
Contre la télé
Hugo Marsan
Le Corps du soldat
Le Balcon d'Angelo
Jean-Yves Masson
L'Isolement
Natacha Michel
Autobiographie
L'Écrivain pensif
Pierre Michon
Vie de Joseph Roulin
Maîtres et Serviteurs
La Grande Beune
Le Roi du bois
Trois auteurs
Mythologies d'hiver
Abbés
Corps du roi
Claude Pérez
Amie la sorcière
Jacques Réda
La Sauvette
Le Lit de la reine
Les Fins Fonds
Olivier Rolin
La Langue
Emmanuelle Rousset
L'Idéal chaviré
Saturnales de Swift
Jean-Jacques Salgon
07 et autres récits
Dominique Sampiero
La Lumière du deuil
Le Dragon et la Ramure
Michel Séonnet
Que dirai-je aux enfants de la nuit ?
La Tour sarrasine
Pierre Silvain
Le Jardin des retours
Bernard Simeone
Acqua fondata
Cavatine
Guy Walter
Un jour en moins

Cet ouvrage a été achevé d'imprimer en février 2003
dans les ateliers de Normandie Roto Impression s.a.s.
61250 Lonrai
N° d'imprimeur : 030470
Dépôt légal : février 2003
Imprimé en France